Bienvenue
dans le mon

Téa Sisters

ALBIN MICHEL JEUNESSE

Salut, c'est Téa, la sœur de Geronimo Stilton! Je suis envoyée spéciale de «l'Écho du rongeur», le journal le plus célèbre de l'île des Souris. J'adore les voyages et j'aime rencontrer des gens du monde entier, comme les Téa Sisters. Ce sont cinq amies vraiment épatantes. Je vous les présente!

Colette a une vraie passion pour le rose et c'est la fille la plus *fashion* du groupe. Toujours occupée à soigner son look, elle est sans cesse en retard!

Violet aime étudier et découvrir sans cesse de nouvelles choses. Elle aime la musique classique et rêve de devenir une grande violoniste!

Paméla mangerait sa pizza adorée même au petit déjeuner. C'est une mécanicienne accomplie. Donnez-lui un tournevis et elle vous réparera n'importe quel moteur!

PAULINA est un peu timide et brouillonne, mais aussi très altruiste. Comme elle aime voyager, elle connaît des gens de tous les pays.

Nicky est passionnée d'écologie et de nature. Elle vient d'Australie et aime la vie au grand air. Elle ne tient pas en place!

Texte de Téa Stilton.
*Basé sur une idée originale d'*Elisabetta Dami.
*Coordination des textes d'*Alessandra Berello *(Atlantyca S.p.A.).*
Sujet et supervision des textes de Carolina Capria *et* Mariella Martucci.
Coordination éditoriale de Patrizia Puricelli.
*Édition d'*Antonella Lavorato *et de* Daniela Finistauri.
Coordination artistique de Flavio Ferron.
Assistance artistique de Tommaso Valsecchi.
Couverture de Giuseppe Facciotto.
Illustrations intérieures de Chiara Balleello, Barbara Pellizzari *(dessins)*
et Francesco Castelli *(couleurs).*
Graphisme de Marta Lorini.
Cartes : Archives Piemme.
Traduction de Béatrice Didiot.

Les noms, personnages et traits distinctifs de Geronimo Stilton et de Téa Stilton sont déposés.
Geronimo Stilton et Téa Stilton sont des marques commerciales, licence exclusive
d'Atlantyca S.p.A. Tous droits réservés.
Le droit moral de l'auteur est inaliénable.

www.geronimostilton.com

Pour l'édition originale :
© 2011, Edizioni Piemme S.p.A. – Corso Como, 15 – 20154 Milan, Italie
sous le titre *Top model per un giorno*
International rights © Atlantyca S.p.A. – Via Leopardi, 8 – 20123 Milan, Italie
www.atlantyca.com – contact : foreignrights@atlantyca.it
Pour l'édition française :
© 2013, Albin Michel Jeunesse – 22, rue Huyghens, 75014 Paris
www.albin-michel.fr
Loi 49-956 du 16 juillet 1949 sur les publications destinées à la jeunesse
Dépôt légal : premier semestre 2013
Numéro d'édition : 20487
Isbn-13 : 978 2 226 24592 2
Imprimé en France par Pollina s.a. en janvier 2013 - L63155A

Stilton est le nom d'un célèbre fromage anglais. C'est une marque déposée de Stilton Cheese Makers' Association. Pour plus d'informations, vous pouvez consulter le site www.stiltoncheese.com

Téa Stilton

TOP-MODÈLE
POUR UN JOUR

ALBIN MICHEL JEUNESSE

AU RYTHME
DU PRINTEMPS

Ce matin de PRINTEMPS dans le jardin
du collège de Raxford, les moineaux gazouil-
laient joyeusement, semblant rivaliser de trilles
et de SIFFLEMENTS plus aigus les uns que
les autres. Dans la salle réservée au professeur **MARIBRAN** montait une mélodie au
rythme curieux et entraînant, mais dont les
auteurs étaient, cette fois, les étudiants du
cours de communication. Tandis qu'ils atten-
daient **impatiemment** l'arrivée de leur
enseignante, certains garçons et filles
avaient improvisé un étrange
concert.

Tout avait commencé quand quelqu'un, au fond de la pièce, avait rompu le silence en **martelant** son pupitre de ses doigts. Au bout de quelques secondes s'y était ajouté le bruit d'un pied battant le sol. Enfin, dans l'une des rangées latérales, un élève s'était mis à maltraiter son *stylo* à pointe rétractable. Peu à peu, le tempo adopté par cet insolite trio s'était fait trépidant…

TAP TAP PAN PAN CLIC CLAC !

TAP TAP PAN PAN CLIC CLAC !
TAP TAP PAN PAN CLIC CLAC !

Les percussions ne cessèrent que lorsque Mlle Maribran entra.

S'apprêtant à découvrir ce que serait leur épreuve de milieu d'année, tous les étudiants étaient en proie à la **FÉBRILITÉ**.

Chaque semestre en effet, leur enseignante leur confiait un devoir **CRÉATIF**.

L'année précédente, par exemple, elle leur avait demandé d'imaginer le moyen le plus gai et le plus amusant de tenir les pensionnaires informés des nouveautés du collège. C'est ainsi qu'était née **RADIO RAXFORD**, aux micros de laquelle se succédaient tous les élèves, en qualité de DJ.

Ce jour-là, enthousiaste comme à son habitude,

Mlle Maribran prit la parole en arborant un grand sourire :

– Alors, vous êtes prêts ? J'ai longuement réfléchi et je crois qu'il est temps de mettre à l'épreuve vos talents d'**INVENTION** et d'organisation. Donc…

Tous la fixaient avec intérêt.

– … cette année, j'ai décidé de vous demander de concevoir et de préparer un ÉVÉNEMENT !

VOUS ÊTES PRÊTS ?

Un murmure se répandit dans la pièce.

– Allons, du calme ! Je vais tout vous expliquer ! déclara-t-elle en tentant de capter à nouveau l'**attention** de la classe.

Elle précisa alors quelle était son idée et, quand la cloche

sonna, les étudiants sortirent en bavardant avec animation. Cette fois, leur enseignante les avait **SURPRIS** avec un projet vraiment renversant : choisir une manifestation à élaborer et à monter dans les moindres détails. Parmi toutes les propositions, elle choisirait la meilleure, que tous *contribueraient* à mettre en œuvre.

ORGANISER UN ÉVÉNEMENT !

– Vous vous rendez compte ? s'exclama Pam en laissant tomber sur le lit de Nicky toute une pile de revues de **MOTOCYCLISME**. On doit imaginer l'événement de nos rêves !

CHALID DEVANT !

IMPATIENTES et fourmillantes d'**idées**, les Téa Sisters n'avaient pas perdu de temps : l'après-midi même, elles s'étaient donné rendez-vous dans la chambre de Nicky et de Paulina. En se **réunissant**, elles étaient certaines que chacune réussirait à donner le meilleur d'elle-même !

– Est-ce que, d'après vous, le recteur pourrait m'autoriser à installer un **CIRCUIT** deux roues dans la cour du collège ? s'enquit Paméla.

Le projet qu'elle avait choisi de présenter pour le devoir était une spectaculaire démonstration d'acrobatie moto par des professionnels.

– Je ne sais pas, répondit Violet, amusée, mais une chose est **SÛRE** : je veux voir sa tête quand tu lui en parleras !

Sa propre proposition était moins ébouriffante que celle de son amie,

VIVE LA MOTO !

BRAVO !

mais pas moins intéressante : il s'agissait d'un **concert** avec des musiciens venus du MONDE entier. Paulina et Nicky comptaient, quant à elles, organiser une exposition de PHOTOS de voyages.

– Si notre idée est retenue, dit Paulina en levant les yeux de l'ordinateur **portable** sur lequel elle travaillait avec sa partenaire, nous pourrions demander au recteur de nous prêter le magnifique cliché de son voyage au Mexique avec ses anciens élèves !

– *EXCELLENTE SUGGESTION !* s'enthousiasma Nicky.

– Et nous pourrions prier *Colette* de nous passer…

À cet instant, Nicky s'interrompit et regarda autour d'elle d'un air **PERPLEXE**.

– Hé, attendez une minute. Où est-elle passée ?

LE DRESSiNG
DE COLETTE

– Vous connaissez Colette : elle aura décidé au dernier moment de s'appliquer un MASQUE de beauté et aura oublié l'heure ! commenta Paulina. Les quatre filles décidèrent d'aller voir. Lorsqu'elles ARRIVÈRENT devant la chambre de leur amie, elles entendirent, à l'intérieur, de la musique, interrompue par de crépitants applaudissements.

Elles frappèrent, mais personne ne répondit. Elles se résolurent alors à entrer, mais lorsqu'elles passèrent le nez dans l'entre-bâillement de la porte, elles découvrirent leur CAMARADE assise à son bureau.

Colette fixait, d'un air particulièrement absorbé, l'écran de son portable, d'où provenaient la *mélodie* et les ovations qu'elles avaient perçues.

– Hé, Coco ! claironna Nicky en pénétrant dans la pièce. Ne devait-on pas se retrouver dans notre chambre ?

– *AN-HAN !* répondit Colette sans détacher les yeux de son ordinateur.

– Tu préfères travailler ici ? s'enquit Violet.

– *AN-HAN !* lâcha à nouveau distraitement Colette.

Les quatre autres Téa Sisters échangèrent un regard **PERPLEXE**.

– Tu vois, Coco, commença Paméla, résolue à comprendre ce qui se passait, j'ai bien envie de me mettre des pantalons verts à pois rouges, avec un petit **PULL** bleu clair à rayures jaunes, marine et marron. Ça va ensemble, d'après toi ?

AN-HAN !

– *AN-HAN !* fit encore Colette.

– OK ! dit Paulina. Apparemment, quelque chose ne tourne pas rond ici ! Colette ne peut pas rester **IMPASSIBLE** face à un assortiment aussi atroce !

Les quatre filles s'approchèrent de leur amie et **LORGNÈRENT** l'écran de son ordinateur : ce qui la fascinait tant était la **VIDÉO** d'un défilé de mode !

Que l'art de s'habiller soit une vraie passion pour Colette n'était pas un mystère. Quelque temps plus tôt, la jeune fille avait carrément créé son **BLOG**, une sorte de journal personnel en ligne, sur lequel elle publiait des photos, des conseils et des nouvelles en matière de vêtements et d'accessoires. Très rapidement, *Le dressing de Colette* (tel qu'elle l'avait appelé) avait reçu de très nombreux commentaires, si bien que l'étudiante était désormais considérée comme une authentique « blogueuse de mode », avec son groupe de lecteurs fidèles, toujours à l'affût de ses **CONSEILS**.

Quand le professeur Maribran avait expliqué le nouveau devoir, Colette avait bondi de joie : c'était une fantastique occasion d'œuvrer à ce qu'elle aimait le plus ! Ainsi avait-elle commencé à se documenter pour mettre sur pied son **PROJET**...

Le dressing de Colette

Mur   Infos   Bienvenue   Profil   >>

Que porter par une belle journée ensoleillée ?

Voici ma tenue idéale pour un après-midi de lèche-vitrine avec mes amies... les mythiques Téa Sisters !

Je m'appelle Colette et s'il y a une chose que j'aime plus encore que les vêtements, ce sont les vêtements... ROSES !

Bienvenue dans mon dressing !

Nicky devina immédiatement les intentions de Colette et, adressant un clin d'œil à Paméla, Paulina et Violet, elle observa :

– J'ai l'impression que quelqu'un de notre connaissance choisira comme événement un DÉFILÉ DE MODE...

– Quoi ?! sursauta Colette. Qui a eu la même idée que moi ?

– Mmmh... voyons, la taquina Paulina, tu dois la connaître : elle est *blonde*...

– ... elle a un goût immodéré pour le rose... poursuivit Nicky.

– ... et elle a une bonne trentaine de *shampoings*, d'après-shampoings et de baumes pour les cheveux ! conclut Pam.

L'inquiétude disparut du visage de Colette pour laisser place à un grand sourire.

– D'accord, j'ai compris... Vous l'avez bien décrite, mais vous avez oublié le plus impor-

tant : elle a quatre **FABULEUSES** amies, qui vont s'empresser de lui faire un câlin !

QUE LE MEILLEUR GAGNE !

La semaine suivante, les étudiants se retrouvèrent dans la salle du cours de communication, retenant leur SOUFFLE en attendant que le professeur Maribran lance la présentation des projets. Chacun avait mis beaucoup de **cœur** et de *fantaisie* dans la conception de son événement et avait hâte de le montrer au reste de la classe.

La première à dévoiler son idée fut Vanilla, qui avait pensé à une luxueuse **FOIRE** de produits de beauté, à savoir un gigantesque salon de soins dans lequel les visiteurs pourraient s'abandonner aux mains expertes des **maquilleurs** de l'entreprise de sa mère, Vissia Cosmetics. Une salve d'applaudissements salua son intervention.

Puis ce fut au tour de Craig, qui détailla avec entrain sa proposition : un tournoi

de **FOOTBALL** disputé par des équipes mixtes, composées d'actuels et anciens élèves de Raxford.

Shen avait, quant à lui, imaginé organiser une amusante rencontre de passionnés de **science-fiction**, à laquelle seraient conviés quelques-uns des plus célèbres écrivains actuels du genre.

La description des projets se poursuivit tout au long de la **MATINÉE**, et ce n'est qu'au bout de plusieurs heures que l'enseignante se retira pour faire son choix.

– La **sélection** ne sera pas facile… songea Nicky.

– En effet, ajouta Colette, chaque suggestion avait quelque chose de spécial : moi-même, je ne saurais laquelle choisir !

En réalité, Nicky, Violet, Pam et Paulina espéraient le SUCCÈS de Colette. Les Téa Sisters

NOUS PRÉPARERONS LES MODÈLES...

étaient en effet très *fières* de leur amie, qui avait planifié chaque phase de son défilé avec beaucoup d'application et de **PASSION**.

Ce fut une magnifique surprise de découvrir que Mlle Maribran pensait la même chose.

– Chers ÉLÈVES, commença-t-elle en rentrant dans la pièce, vous avez tous été brillants, mais je ne pouvais retenir que l'une des présentations. Je suis heureuse de vous informer que Raxford accueillera prochainement un DÉFILÉ DE MODE !

JEU D'ÉQUIPE

– *Jedoismedépêcherilyatropdechosesàfairejeneseraijamaisprête!* s'exclama Colette d'un seul trait.

– **Ne t'affole pas, Colette !** l'exhorta posément Violet. La situation est sous contrôle, tu dois juste te **calmer** et RESPIRER profondément.

NE PAS S'AFFOLER...
NE PAS S'AFFOLER...

– Tu as raison… répondit son amie, avant de fermer les yeux et de prendre une grande inspiration.

– Maintenant, ça va mieux, non ? lui demanda Violet.

– Oui, en effet, mais… *jedoismedépêcherilya-tropdechosesàfairejeneseraijamaisprête !*

À la fin du COURS, Colette s'était jetée à corps perdu dans l'organisation du défilé. La joie et la satisfaction d'avoir **conçu** le projet sélectionné avaient rapidement cédé la place au stress : mettre en œuvre un défilé de mode n'était pas une plaisanterie et il y avait à peine assez de **TEMPS** pour le faire. Colette avait enrôlé ses camarades dans la transformation de la salle de classe du professeur Maribran en atelier, d'où seraient lancées les opérations. Et tous s'étaient mis au travail.

CHOSES À FAIRE :
- INVITATIONS
- MUSIQUES
- LUMIÈRES
- NE PAS S'AFFOLER

– *LES INVITATIONS* ! Il faut les préparer et les expédier !

– Ne t'inquiète pas, Coco, je peux m'en occuper, proposa Tanja.

La jeune fille acquiesça, mais ajouta aussitôt :

– Et il faut choisir les *musiques* qui accompagneront les présentations des modèles ! Et puis les éclairages et l'installation du FORUM ! Sans parler de…

HEUREUSEMENT, les Téa Sisters étaient là, promptes à la rassurer !

– Hé, sœurette ! Regarde un peu autour de toi ! Nous sommes tous là pour t'**épauler** ! En effet, ton idée est devenue la nôtre ! lui fit remarquer Paméla.

– Bien dit ! commenta Paulina. Et sois tranquille, j'ai déjà pensé à un déploiement de LUMIÈRES exceptionnel.

– Et moi, je m'occuperai de la bande-son ! intervint Violet.

– De mon côté, je recruterai du monde pour construire la passerelle ! déclara Paméla.

Se tournant vers Nicky, elle demanda :

– Pourrais-tu te charger...

Sans lui laisser le temps de finir sa phrase, son amie répliqua en secouant la tête :

– ... *EH NON !* Désolée, mais ne comptez

pas sur moi pour aider à mettre sur pied le défilé !

Ses quatre amies la regardèrent, ABASOURDIES : Nicky refusait de participer ? Vrai de vrai ?

– Hé, mais qu'avez-vous compris ? Je ne pourrai pas collaborer à cette phase du projet, parce que j'ai l'intention de jouer... les stylistes ! expliqua-t-elle.

TU NE PARTICIPERAS PAS ?

SI... MAIS COMME STYLISTE !

STYLISTES
À LA RESCOUSSE

Nicky n'était pas la seule étudiante de Raxford à avoir décidé de s'essayer au stylisme. En effet, le projet de Colette prévoyait d'exhiber sur la passerelle, non pas les modèles des cou-

turiers les plus renommés, mais le travail des élèves de Raxford.

Ceux-ci étaient libres de **réaliser** un vêtement à partir de rien ou d'associer de manière **originale** des pièces déjà existantes. Puis, lors du défilé, un jury désignerait la tenue la plus réussie.

Ainsi, dès le lendemain, une file de candidats créateurs s'était formée devant le **BUREAU** d'inscription à cette activité.

Même Vanilla, après avoir digéré l'humiliation de voir sa proposition *écartée* par le professeur Maribran, avait décidé d'investir toute son énergie dans la participation à cet événement.

– Tu as réfléchi à la toilette que tu présenteras ? lui demanda Alicia, obligée de tenir compagnie à Vanilla, qui refusait de se *morfondre* en faisant la queue.

JE NE TRAVAILLE PAS !

– **ABSOLUMENT PAS !** répondit la jeune fille d'un air suffisant. Mais la styliste qui concevra le modèle à ma place a déjà pensé à tout !

Un peu plus loin, deux élèves semblaient s'amuser bien davantage que Vanilla : Ron et Tanja. En plus des nombreux centres d'intérêt qu'ils partageaient, les deux jeunes gens s'étaient découvert un goût commun pour la **mode**, ce qui avait incité Tanja à demander :

– Peut-on se faire enregistrer en tant que duo de stylistes ?

– ***BIEN SÛR !*** répondit Paulina.

– Parfait ! Alors notre nom d'artistes sera **R & T** et nous confectionnerons un habit fantasouristique !

Emportés par leur enthousiasme, Ron et Tanja se mirent à cogiter ensemble face au bureau.

– Qu'en dis-tu : nous pourrions utiliser des tissus **écologiques** ? proposa Tanja.

– Très judicieux ! approuva Ron. Nous allierons ainsi le souci de l'environnement à l'*élégance* !

– Par mille bielles embiellées ! s'exclama Pam,

admirative. Vous fourmillez d'idées ! Et ce sera
un modèle **masculin** ou *féminin* ?

– Masculin ! assura Ron.

– Féminin ! trancha en même temps Tanja.

Pam et Violet échangèrent un regard entendu :

ILS N'ALLAIENT PAS S'ENNUYER !

NE RENONCE PAS, SŒURETTE !

À mesure que la file avançait et que son tour approchait, Elly se sentait de moins en moins convaincue de vouloir s'inscrire. La jeune fille n'était pas très versée dans la mode, mais la fougue avec laquelle Colette avait présenté son projet à la classe l'avait gagnée. Comme par magie, elle s'était soudain vue dans les coulisses d'un défilé, occupée à mettre la dernière main à ses créations. Ce rêve éveillé l'avait **transportée**, si bien qu'elle avait décidé de tenter de le réaliser en participant à la compétition. Mais, chemin faisant, son courage avait faibli.

Dans la queue, tous les autres étudiants bavardaient en véritables *connaisseurs*, utilisant des mots qu'Elly n'avait jamais entendus.

« ***Moi, styliste ?*** Qu'est-ce qui m'a pris ? » songea-t-elle finalement.

N'ayant jamais perçu un tel **décalage** avec ses compagnons, elle décida de renoncer et de s'en **ALLER**.

Pam, qui **NOTAIT**, en compagnie de Paulina,

QUELLE IDÉE M'EST PASSÉE PAR LA TÊTE ?!

le nom des candidats créateurs, aperçut, du coin de l'œil, sa camarade qui s'éloignait et se leva d'un bond.

– OHÉ, ELLY ! OÙ VAS-TU ? demanda-t-elle en rejoignant la jeune fille dans le couloir. Tu ne voulais pas t'inscrire ?

– Si… j'en avais l'intention… murmura Elly, **embarrassée**. Jusqu'à ce que je m'aperçoive que j'étais la seule à ne pas être une experte de la mode !

– PAR MILLE BIELLES EMBIELLÉES ! Et ça te semble une raison d'abandonner ? s'écria ironiquement Pam.

Face au regard perplexe de son amie, elle s'expliqua :

– Imagine combien ce sera **amusant** de travailler à ce projet ! Et même s'il y en a qui en savent plus que toi, c'est une **EXPÉRIENCE** nouvelle pour chacun d'entre

nous ! Tu n'es pas la seule à avoir beaucoup à
APPRENDRE !

L'entrain contagieux de Paméla *réconforta*
immédiatement Elly.

– Et… tu penses qu'une styliste qui n'y connaît
rien peut tenter sa chance ? s'enquit-elle en
souriant timidement.

– Une styliste qui n'y connaît rien, non ! la taquina Paméla. Mais celle qui aurait tort d'hésiter, ce serait :

une créatrice désireuse de faire ses preuves !

Pause Goûter !

Quelques heures plus tard, les Téa Sisters se rendirent à la chambre de Colette et frappèrent.
– **On peut ?** demanda Paulina en passant la tête par l'entrebâillement de la porte.

ANNETTE ?

Colette était assise sur son *lit* et parlait d'un ton enjoué au *téléphone* :
– Je suis ravie que vous puissiez venir ! dit-elle en faisant signe à

ses amies d'entrer. Demain, je vous ENVOIE le programme de la manifestation ! Ciao, ciao !

– Alors, comment avance ta recherche des jurés qui décerneront son prix au styliste le plus créatif ? l'interrogea Nicky.

Comme le leur avait expliqué le professeur Maribran, pour donner du crédit et de l'éclat à un événement, il était essentiel de choisir ses invités avec grand soin. C'est la raison pour laquelle Colette avait décidé de contacter les spécialistes de la mode qu'elle admirait le plus et de leur proposer de faire partie du jury du défilé.

– BIEN ! répondit Colette. Aujourd'hui, j'ai parlé à Annette, Betty, Ludo et Ramona, qui se disent impatients

ANNETTE

BETTY

LUDO

RAMONA

de venir à Raxford pour le défilé ! Mais j'ai reçu un mail de *Miss Belle* m'informant qu'elle ne pourra pas être des nôtres…

Colette en était très déçue. En effet, le blog de Miss Belle avait conquis tous les amateurs de mode jusqu'à **rapidement** devenir une référence. Mais personne ne connaissait la véritable identité de la jeune femme, car, sur ses

photos, son visage était toujours dissimulé par la visière de sa *casquette* grise.

– Elle m'a écrit qu'elle aurait beaucoup aimé siéger dans le jury, mais qu'elle a, hélas, PRÉVU un voyage à la même période, expliqua Colette. Elle raconte qu'elle a besoin de faire une pause… surtout par rapport à son ordinateur, vu le temps qu'elle passe sur son site Internet !

– Les hôtes illustres ne manqueront pas ! Notre ÉVÉNEMENT sera un succès, tu verras ! prédit Pam pour consoler son amie.

– Et maintenant, laisse de côté ton téléphone et ton portable, car c'est l'heure du goûter ! dit Violet avec prévenance.

Colette prit alors conscience de la délicieuse odeur qui s'était répandue dans la pièce depuis que ses amies y avaient pénétré.

– Nous avons tout ce qu'il faut pour une

muffin-party ! poursuivit Violet en lui tendant le panier qu'elle cachait derrière son dos.

– **Merci, les filles !** Je suis si prise par l'organisation de la manifestation que je ne me suis même pas rendu compte que j'avais **faim** ! s'exclama Colette, réjouie, en choisissant un gâteau.

– Et nous avons aussi confectionné ça pour éviter qu'on nous dérange ! dit Pam en exhibant un petit c a r t o n coloré.

Muffin-party !

NE PAS DÉRANGER

Elle le suspendit aussitôt à la poignée extérieure de la **PORTE**, qu'elle s'empressa de refermer.

La jeune fille ne remarqua pas la présence, toute proche, d'une personne

PAUSE GOÛTER !

qui, veillant à ne pas se faire voir, avait suivi toute leur conversation.

– Allô, Zoé ? appela Vanilla à voix basse. Je viens d'apprendre quelque chose de très intéressant ! Rendez-vous à la bibliothèque dans dix minutes !

IL SUFFIT DE SAVOIR ATTENDRE...

Ce **Soir**-là, les Téa Sisters ne se séparèrent qu'à une heure tardive. Elles avaient en effet veillé pour aider Colette à la préparation du défilé et, quand elles avaient enfin décidé de s'abandonner à un REPOS réparateur, elles s'étaient saluées en bâillant.

Pam et Colette se changèrent prestement et s'**ENDORMIRENT** sans difficulté.

Mais au bout de quelques heures, Pam se retourna dans son lit.

Tic tic !

La jeune fille souleva une paupière.

Tic tic tic tic tic !

Lorsqu'elle souleva la seconde, elle aperçut Colette, assise en **Pyjama** face à son ordinateur. Sa compagne de chambre tapait sur le **clavier** de son portable : voilà ce qu'était ce bruit !

– Hé, Coco ! l'interpella Paméla, la voix encore ensommeillée. Qu'est-ce que tu fais déjà debout ? Dehors, tout est **noir** !

– Tu exagères ! murmura Colette. Il est **5** heures et il fait pratiquement **JOUR** !

Tic tic tic !

Pam aurait bien voulu se rendormir après lui avoir expliqué que, pour elle, 5 heures était encore la pleine **NUIT**, mais comme elle était réveillée, autant se lever.

– ***OK, Coco !*** dit Pam en rejoignant son amie. Et maintenant, tu veux bien me raconter ce que tu fabriques ?

– Rien… J'ai vérifié ma messagerie électronique et envoyé quelques mails…

JE CONTRÔLAIS MES MAILS...

– Tu attends un message important ?

– Oui, mais je ne crois vraiment pas qu'il viendra… dit Colette, l'air CONTRARIÉ.

Quelques jours plus tôt, la jeune fille avait pris son **courage** à deux mains et envoyé un courrier à une personne qu'elle admirait énormément : **Rébecca Sabo***, la rédactrice en chef de l'illustre revue

de mode *Mulogue*. Son plus cher espoir était que la prestigieuse **journaliste** accepte de participer à la manifestation en tant qu'invitée d'honneur. Mais celle-ci n'avait pas donné signe de vie.

– Je m'y attendais, poursuivit Colette, résignée. Rébecca Sabo est toujours débordée ; elle

* Les Téa Sisters ont rencontré Rébecca Sabo lors de leur aventure racontée dans L'Invitée mystérieuse.

n'a certainement pas trouvé le temps de me RÉPONDRE... Mais ce n'est pas grave ! Il y aura bien d'autres hôtes importants...

Et pour se requinquer, elle ajouta avec un sourire :

– Je vais me faire un shampoing, après quoi je serai prête à affronter ma journée !

Lorsque Colette eut fini de se sécher les cheveux, Pam s'approcha d'elle et, lui tendant son téléphone, commenta :

– Apparemment, Rébecca Sabo n'a pas trouvé le temps de t'écrire, trop occupée qu'elle était à... essayer de t'APPELER !

Une occasion incroyable !

Pour Colette, ce fut l'un des appels les plus **bouleversants** qu'elle ait jamais reçus : Rébecca Sabo lui dit que ses engagements professionnels ne lui permettaient pas d'assister au défilé, mais que l'événement lui paraissait si enthousiasmant que...

– Elle m'a demandé d'écrire un article pour **MULOGUE** ! *Je n'arrive toujours pas à y croire !* s'extasia Colette en montant dans le quatre-quatre de Pam, avec les autres Téa Sisters.

Les cinq amies se dirigèrent vers le port de l'**île des Baleines**, où s'apprêtaient à débarquer les **BLOGUEURS** de mode qui composaient le jury. Durant les jours qui précéderaient la manifestation, ces experts de l'art vestimentaire logeraient au COLLÈGE et auraient le temps de faire connaissance avec les stylistes en herbe. Pendant tout le TRAJET, Colette ne cessa de penser à l'incroyable occasion que Rébecca Sabo lui offrait.

JE BRÛLE DE LES CONNAÎTRE !

« Raconte ce qu'est la mode pour toi... » lui avait suggéré la célèbre rédactrice en chef.

Ce que Colette avait l'intention de faire avec le plus grand sérieux !

– Comment pourrais-je bien commencer mon texte ? se dit-elle tout bas. Peut-être par quelque chose comme : « La mode, c'est avant tout... »

– PAR MILLE VALVES DÉVALVÉES !

Nous arrivons juste à temps ! s'exclama Pam en éteignant le moteur.

– Oui, les voilà ! Ils sortent déjà de l'hydro-glisseur ! s'écria Nicky en désignant le quai.

Ramona

Style : rock
Ne quitterait jamais :
ses bottes militaires
Ne porterait jamais :
un ras-de-cou en perles
Couleur préférée : violet

Betty

Style : bon chic bon
genre
Ne quitterait jamais :
son sac à main vieux rose
Ne porterait jamais :
une robe noire
Couleur préférée : rose

Annette

Style : élégant
Ne quitterait jamais :
son parfum
Ne porterait jamais :
un survêtement
Couleur préférée : or

FÊTE ET SURPRISE À LA CLÉ

Les quatre blogueurs de renom se révélèrent aussitôt des champions non seulement en matière de mode mais aussi… de **cordialité**! Une fois arrivés à Raxford, Annette, Ludo, Ramona et Betty succombèrent au charme du vieil établissement et demandèrent à visiter le collège. Colette ne pouvait les accompagner, car l'organisation du DÉFILÉ absorbait une bonne partie de son temps, mais les autres Téa Sisters furent plus qu'heureuses de servir de guide aux invités. Au sein du petit groupe improvisé, les plus BRUYANTES étaient, sans aucun doute, Pam et Annette. Dans le domaine de l'habillement, leurs goûts étaient à l'opposé, mais pour ce qui était de l'exubérance et de la gaieté, l'accord était parfait ! Paulina, de son côté, eut le soufflé coupé en apercevant le mini-ordinateur que Ludo emportait partout avec lui, afin de pouvoir, à tout moment, mettre à jour son blog ; et elle lui posa mille et une questions.

Nicky, quant à elle, découvrit que Betty partageait sa passion pour la **promenade** et les sports de plein **air** !

Violet, enfin, sympathisa plus particulièrement avec Ramona, après avoir eu la surprise d'apprendre qu'elle aussi jouait du *VIOLON*.

Mais le meilleur moment de la journée fut

quand, au COUCHER du soleil, les Téa Sisters conduisirent leurs hôtes au Jardin des herbes aromatiques pour la petite fête qu'elles avaient organisée en leur honneur.

– Merci pour ce merveilleux accueil, Colette ! s'exclama Betty.

– C'est vraiment dommage que Miss Belle n'ait pas pu venir, ajouta Annette.

– En effet, cela fait longtemps que j'aimerais la connaître, commenta Ramona.

– Alors, ne perdons pas davantage de temps ! déclara une voix féminine derrière elles. C'est moi... Je suis... *Miss Belle !*

Toutes se retournèrent et les Téa Sisters furent stupéfaites de découvrir que cette voix apparte-nait à une personne qu'elles connaissaient bien : *Zoé !*

C'EST TOI, MISS BELLE ?!

– Zoé ?! C'est toi, Miss Belle ? s'écria Colette, **JEJSOURDIE**.

– Eh oui ! répondit l'étudiante en feignant la désinvolture. Pourquoi êtes-vous tous aussi **surpris** ?

– Ben... certainement parce que tu n'en as jamais parlé à **PERSONNE**... fit valoir Paméla.

COMMENT ?!?

– Peut-être pas à vous, s'empressa de rectifier Connie, mais nous, les Vanilla Girls, qui sommes ses meilleures amies le savions parfaitement !

– **Sûr qu'on était dans le secret !** tenta de confirmer Alicia. Depuis deux jours, on ne parle que de ça !

Ses camarades lui **LANCÈRENT** un regard noir : Alicia risquait de dévoiler involontairement leurs manigances et de faire échouer leur plan ! Mais Zoé, qui avait bien appris son **rôle**, rattrapa aussitôt sa bévue :

– Ce qu'elle veut dire, c'est que, ces deux derniers jours, nous avons longuement discuté pour savoir s'il fallait, oui ou non, révéler mon *identité*...

Les Téa Sisters se regardèrent avec incrédulité : c'était une nouvelle pour le moins **inattendue** !

Paulina, la plus surprise, ouvrit la bouche pour demander à Zoé quelques précisions, mais avant qu'elle ait pu intervenir, Ludo s'écria, dans un élan d'enthousiasme :

– Dans ce cas, souhaitons la bienvenue à Miss Belle ! C'EST UN HONNEUR DE TE REN-CONTRER !

Annette, Betty, Ramona et Ludo se pressèrent joyeusement autour de Zoé, qui lança un coup d'œil satisfait à Vanilla. Celle-ci lui répon-

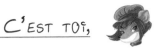 

C'EST TOI, MISS BELLE ?!

dit par un CLIN d'œil discret : tout se passait comme prévu !

L'**idée** de faire croire à tous que Zoé était Miss Belle avait germé dans l'esprit de Vanilla lorsqu'elle avait SURPRIS Colette en train de raconter à ses amies que la célèbre et

mystérieuse blogueuse ne viendrait pas. Vanilla étant décidée à remporter le **PRIX** de la meilleure styliste, la présence de Zoé dans le jury lui assurerait une voix.

De plus, comme Miss Belle jouissait d'un grand prestige parmi les commentateurs de mode, son amie pourrait persuader les autres jurés que sa création était la plus réussie.

Voyant Ramona, Ludo, Betty et Annette boire les paroles de celle qu'ils pensaient être Miss Belle, Vanilla fut convaincue que sa ruse fonctionnerait !

Un jeu
d'enfants

Installée dans un coin de la salle du Club des Lézards noirs, où les élèves du collège aimaient à se retrouver, Colette continuait à réfléchir au meilleur angle d'attaque pour son article destiné à *Mulogue*.

Elle commença à écrire : «La mode, c'est avant tout…», mais, faute d'**INSPIRATION**, s'arrêta.

Elle regarda tout autour d'elle en mordillant le capuchon de son stylo : quelle pagaille !

Le club s'était transformé en un véritable atelier de mode, où les stylistes en herbe s'efforçaient de confectionner leurs modèles. Dans ce

joyeux désordre coloré, le regard de Colette fut soudain attiré par Nicky. Projetant de créer un ensemble alliant **SPORT** et GLAMOUR, elle étudiait avec la plus grande concentration toute une série de magazines, dans l'espoir d'y trouver des idées.

Colette nota avec à-propos : « La mode, c'est… une recherche ! » Mais, secouant la tête, elle se dit aussitôt :

– Non, ça ne va pas.

La mode était bel et bien une **quête**, mais bien plus encore.

L'arrivée d'Annette, Ramona, Ludo et Zoé – ou plutôt Miss Belle –, accompagnés de Violet et de Paméla, obligea toutefois Colette à s'interrompre. Les membres du **jury** venaient en effet passer un peu de temps en compagnie des apprentis couturiers pour faire leur connaissance et les voir à l'œuvre.

Et à en juger par les **ÉCLATS** de voix prove-
nant de l'espace occupé par le duo **R & T**, la
matinée s'annonçait intéressante.

– **Crois-moi :** je sais ce que je dis ! plaida
Tanja en s'adressant à Ron.

– Peut-être, mais ces **tissus** se prêtent
davantage à un vêtement masculin ! lui rétorqua
celui-ci.

Tandis que les nouveaux venus tentaient d'aider les deux élèves à trouver une solution, Betty se détacha du groupe. Elle était **intriguée** par l'activité silencieuse d'Elly, qui cherchait à mettre de l'ordre dans des habits entassés au fond d'une vieille **VALISE**.

– Bonjour, je suis Betty! se présenta-t-elle en lui tendant la main. J'imagine que tu es l'une des créatrices du défilé?

– Oui, répondit **timidement** l'étudiante. J'ai décidé de tenter ma chance, même si... *JOLI!*

– Regardez ça! la coupa Annette en rejoignant Betty, en compagnie des autres. Je me trompe ou ce foulard est une pièce originale des années 1970?

– C'est bien ça ! répondit **fièrement** Elly. Il s'agit...

Mais elle ne put terminer sa phrase, car Zoé, craignant que sa camarade monopolise l'attention des jurés et fasse de l'**OMBRE** à Vanilla, obliqua vers l'autre bout de la pièce et claironna :

– Ah, Vanilla ! Tu fais vraiment de l'**excellent** travail !

Comme Vanilla l'avait imaginé, les quatre visiteurs prêtèrent l'oreille à la prétendue Miss Belle et, en moins de temps qu'il ne faut pour le dire, la rejoignirent pour contempler la robe de soirée qui s'était matérialisée sur le mannequin de la jeune fille.

– Miss Belle a raison ! Ton modèle est presque terminé ! s'exclama Ramona, impressionnée.

– Mais non, pas du tout ! répliqua Vanilla avec fausse modestie. Il reste un tas de choses à faire :

finir les **ourlets**… ajuster le volant… fixer les paillettes…

Ce qu'aucun des jurés ne pouvait deviner est que la jeune fille ne ferait rien de tout cela, tout comme elle n'avait en rien participé à la réalisation de la splendide toilette que tous admiraient. En réalité, Vissia de Vissen, la mère de Vanilla, l'avait commandée à un grand couturier français, et c'est Alan, le majordome de la famille, qui y mettrait la dernière main.

FANTASTIQUE !

– Même sans les finitions, ta robe me paraît sublime, commenta Zoé.

Et de prendre à témoin les célèbres blogueurs :

– C'est **vrai**, non ?

À l'immense satisfaction de Vanilla, tous acquiescèrent avec conviction, et la jeune fille ne put dissimuler un sourire : gagner serait pour elle un jeu d'ENFANTS !

LES MOTS JUSTES

Colette profita de l'un des rares moments de **tranquillité** de ces jours d'effervescence pour se replier dans sa chambre et se concentrer sur son article. « La mode, c'est… » recommença-t-elle à écrire. Comme la jeune fille était **plongée** dans ses pensées, elle ne remarqua pas que Paulina avait passé la tête dans l'entrebâillement de la porte et l'appelait.

– *Coco ?*

– « La mode, c'est… »

– **Coco ?**

– « La mode, c'est… Coco ! »

 **Comment ça, c'est Coco ?!**

s'exclama-t-elle en revenant subitement à la réalité et en regardant autour d'elle.

Puis, elle s'**esclaffa** :

– Paulina, c'est toi ? Je n'avais pas vu que tu étais là !

– Excuse-moi si je te dérange, mais je tenais à te parler…

Cela faisait plusieurs jours que Paulina souhaitait s'ouvrir à Colette de ses **doutes** sur la révélation de Zoé.

Elle n'était pas d'une nature soupçonneuse, mais, plus elle y pensait plus la **nouvelle** lui paraissait étrange : comment se pouvait-il qu'aucune d'elles n'ait deviné que derrière la fameuse Miss Belle se cachait Zoé ? Tandis qu'elle s'apprêtait à confier son trouble à son amie, elle remarqua les nombreuses boules de **papier** qui jonchaient le sol.

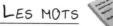

– Pourquoi y a-t-il toutes ces feuilles par terre ?
s'enquit-elle.

Colette esquissa un sourire **GÊNÉ**.

– J'ai du mal avec l'article pour *Mulogue* : je
n'arrive pas à trouver la bonne attaque, je manque
d'inspiration et le temps est compté…

Juste à ce moment, le portable de Colette se mit
à sonner.

– Allô ? répondit la jeune fille. D'accord, j'arrive
tout de suite.

Elle jaillit aussitôt de son fauteuil.

– Violet veut me présenter les morceaux qu'elle a
choisis comme accompagnement MUSICAL.
Elle m'a demandé de la retrouver au Club des
Lézards noirs. Mais toi… tu n'avais pas quelque
chose à me dire…

Paulina ouvrit la bouche, puis se ravisa : ses
soupçons ne feraient que peser sur les épaules
de son amie. Or Colette avait déjà bien assez de

préoccupations et, qui sait, peut-être Paulina se trompait-elle. Elle **RÉSOUDRAIT** cette question toute seule.

– Si, une chose très importante : le défilé remportera un succès **fantasouristique**, tout comme le texte que tu rédigeras ! répliqua-t-elle finalement, **radieuse**.

LES SOUPÇONS
DE PAULINA

– Voici un endroit idéal pour réfléchir ! s'exclama Paulina en s'installant sur un **banc**.

Comme tous les étudiants étaient absorbés par l'aménagement de l'amphithéâtre en prévision du défilé, le silence et la tranquillité régnaient dans le Jardin du collège. Dans un premier temps, Paulina avait pensé que Zoé pouvait en effet être Miss Belle : la jeune fille étant, depuis toujours, *passionnée* par la mode, rien d'étonnant à ce qu'elle tienne un blog sur les dernières tendances. Ses SOUPÇONS n'étaient nés que durant les jours suivants : chaque fois que quelqu'un interrogeait Zoé sur son site, celle-ci, visiblement gênée, bredouillait une réponse évasive.

Paulina alluma son **portable**. Une autre chose la turlupinait : chaque jour, Ludo, Annette, Ramona et Betty mettaient à *jour* leur blog avec des photos prises à Raxford, or celui de Zoé ne changeait pas.

Paulina entreprit de le **consulter** une fois

J'AIMERAIS VOIR SI...

BLOG DE LUDO

BLOG DE RAMONA

BLOG D'ANNETTE

BLOG DE BETTY

de plus. Peut-être Zoé y était-elle intervenue, apportant la preuve qu'elle était bien Miss Belle. Mais son **SITE** était exactement dans le même état que lors de la dernière visite de Paulina : sur la page d'accueil continuait de s'AFFICHER le message que Miss Belle avait écrit avant de marquer la pause dont elle avait parlé à Colette :

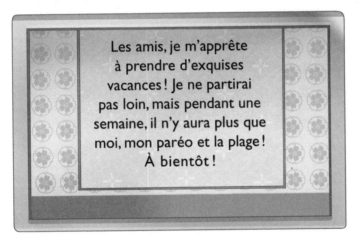

> Les amis, je m'apprête
> à prendre d'exquises
> vacances ! Je ne partirai
> pas loin, mais pendant une
> semaine, il n'y aura plus que
> moi, mon paréo et la plage !
> À bientôt !

Paulina secoua la tête avec perplexité. Zoé prétendait avoir INVENTÉ cette histoire de congés pour ne pas participer au défilé, afin de continuer à dissimuler son identité aux autres élèves du collège. Mais maintenant qu'elle avait changé d'avis et que tous savaient qu'elle était Miss Belle, pourquoi ne pas publier de nouveaux billets sur son blog?

La seule réponse possible était qu'elle ne possédait pas le mot de passe du site, car... ce site n'était *pas* le sien!

– Enfin, à quoi bon se faire passer pour quelqu'un qu'on n'est pas?! murmura pensivement Paulina.

Elle devait creuser la question !

UN TAPIS TRÈS FANTAISIE !

Il ne restait désormais plus que quelques heures avant le défilé, et les étudiants couraient dans tous les sens pour mettre la dernière main aux préparatifs. L'équipe de MENUISIERS improvisés menée par Pam donnait ses ultimes coups de marteau à la passerelle, tandis que, sur la plateforme, le quartet à cordes dirigé par Violet répétait les morceaux choisis pour accompagner la présentation des MODÈLES.

Colette cherchait toujours l'inspiration pour son article, mais le vacarme était tel que la jeune fille ne s'entendait pas penser.

– **TANT PIS !** capitula-t-elle. Ce n'est décidément pas le moment de réfléchir à mon papier… Heureusement, côté organisation, tout fonctionne !

Juste alors, Pam lui annonça en la rejoignant sur l'estrade :

– Coco, nous avons un **PROBLÈME** !

– Je retire ce que je viens de dire ! marmonna Colette en aparté. Que se passe-t-il ?

– Tamara, la propriétaire du *Zanzibazar*, vient de m'appeler : le **tapis** rouge que tu lui as commandé n'est pas arrivé…

– Il ne manquait plus que ça ! soupira Colette. On fait quoi, maintenant ?

Pendant quelques secondes, les deux amies fixèrent en silence la **passerelle** nue. Soudain, Pam s'écria avec un large **sourire** :

– J'ai une idée ! Attends-moi là !

Sous le regard dubitatif de Colette, la jeune fille s'éloigna en toute hâte pour réapparaître, quelques minutes plus tard, derrière un énorme **CARTON** débordant des chutes d'étoffe abandonnées par les **stylistes**.

– Qu'est-ce qu'il y a là-dedans ? demanda Colette en soulevant un sourcil.

– La solution ! répondit fièrement Pam. Aide-moi à les *assembler* et nous aurons une grande toile tout ce qu'il y a d'original !

Les deux amies se mirent aussitôt au travail et, en moins de temps qu'il n'en faut pour le dire, toute la surface du podium s'égaya des mille et un motifs du **PATCHWORK** dont Colette et Pam l'avaient recouverte.

– **Tope là, sœurette !** s'exclama

Pam. C'est le plus beau tapis que j'aie jamais
vu !
– Évidemment, on l'a fabriqué **ensemble** !
plaisanta Colette.

FANTASOURISTIQUE !

UN ENCOURAGEMENT SPÉCIAL

Enfin, tout était prêt pour le défilé. Colette jeta un coup d' à la salle depuis les coulisses et en resta bouche bée.

Le parterre **regorgeait** d'étudiants venus profiter d'un ÉVÉNEMENT que tous avaient contribué à réaliser. Au premier rang d'un côté de la passerelle avaient pris place le recteur et l'ensemble des enseignants de Raxford, de l'autre, le jury au complet.

JE SUIS HEUREUSE D'ANNONCER...

Tous écoutaient avec **attention** les propos du professeur Ratcliff, qui racontait comment le projet était né.

Colette respira profondément : tout se déroulait comme prévu. Le quatuor à cordes était déjà sur scène et les stylistes, qui servaient de mannequins à leurs propres créations, brûlaient d'arpenter le podium.

répéta Colette pour s'en convaincre.

Son sac se mit soudain à vibrer : un message était arrivé sur son portable.

> **De : Rébecca Sabo**
> Même si je ne suis pas là, je n'ai pas oublié que c'est le soir de ton défilé. Tu y as mis tant de passion que ce sera certainement un succès ! RS

À la lecture de ces mots, les dernières craintes de Colette s'ÉVANOUIRENT. Ainsi, quand lui parvint la voix de l'enseignante qui l'invitait à la rejoindre sur la passerelle, Colette ne cilla pas : « Tout ira parfaitement ! » pensa-t-elle en toute certitude.

SUR LA PASSERELLE !

Dès que les lumières déclinèrent, un **TON-NERRE** d'applaudissements résonna dans l'amphithéâtre. La première à entrer en scène fut Vanilla, qui enchanta les spectateurs avec sa *somptueuse* robe mariant diverses nuances de vert. La jeune fille défila avec sophistication sous les regards *admiratifs* de l'assistance. Arrivée au bout de la passerelle, elle esquissa une révérence et se RETOURNA en une leste pirouette. Le public était sous le charme : Vanilla avait élégamment mis en valeur sa création.

Puis ce fut au tour de Nicky, qui exprima de manière ORIGINALE mais non moins stylée sa personnalité d'athlète ! Elle gravit le podium à petites *foulées*, et, après l'avoir parcouru, elle exécuta, dans sa COMBI- NAISON chic, quelques exercices de sport ! Vint ensuite Elly, qui, en moins d'un instant, créa une ambiance follement romantique. Revêtue d'une splendide robe blanche descendant jusqu'aux pieds et dont la taille était marquée par un ravissant foulard de soie orange, elle arpenta la passerelle d'un pas léger. Sa tête était coiffée d'un chapeau à larges bords, orné d'exquises petites fleurs. Enfin, elle portait, de la main droite, une vieille valise bleu clair.

La présentation la plus amusante fut

celle de Ron et de Tanja. Tous deux exhibèrent la solution à laquelle ils étaient parvenus : le même tissu, décliné en deux **costumes**, l'un masculin, l'autre féminin.

Si la soirée se révéla d'emblée inoubliable, ce fut aussi grâce à l'atmosphère produite par la musique du quatuor à cordes dirigé par Violet.

Quant aux effets lumineux, Paulina réalisa un travail **MAGNIFIQUE** !

– Pilla, on n'aurait pas pu rêver d'une meilleure éclairagiste ! s'exclama Colette après avoir rejoint son amie à sa console.

– **Merci...** répondit Paulina, mais

elle ne put poursuivre, car son téléphone se mit à **SONNER**. Allô? répondit la jeune fille. Oui, c'est moi... Comment? Tu es ici?! Je viens te chercher tout de suite!

– Où vas-tu? demanda Colette, étonnée. Le **DÉFILÉ** n'est pas encore fini!

– Ne t'inquiète pas pour les lumières, Shen s'en chargera! répliqua Paulina en se **PRÉCIPITANT** hors de la salle.

LA PAROLE
AU JURY

– Les amis, je suis désolée, mais chacune de ces deux créations a quelque chose de vraiment *spécial*, annonça Ramona en soupirant. Je me sens incapable de voter sans y avoir bien réfléchi. Le défilé à proprement parler était terminé, mais les personnes présentes n'étaient pas au bout de leurs émotions, car il restait à proclamer le vainqueur. Les membres du jury n'avaient pas eu de mal à repérer les deux modèles à départager en dernière instance. Dès les jours précédents, Annette, Ludo, Ramona et Betty avaient en effet été frappés par le travail de leurs deux créatrices : le *raffinement* apporté à sa robe du soir par Vanilla, et l'art qu'avait Elly

de remettre en **vogue** des vêtements passés
de mode.

C'est pourquoi la désignation de la gagnante
se révélait moins simple que prévu. Betty et
Annette, **fascinées** depuis le début par
le style rétro d'Elly, n'avaient pas hésité à lui
accorder leur suffrage. Mais Ludo s'était montré
plus **influençable** : sans trop d'efforts, Zoé

était parvenue à le convaincre que la *tenue* présentée par Vanilla était la plus réussie.

Seule Ramona devait encore se prononcer, et Zoé faisait tout son possible pour la rallier à son camp.

– Prends tout le temps qu'il te faut, Ramona, lui dit-elle. Mais pour moi il est évident que le projet de Vanilla est nettement supérieur !

– *Très juste !* renchérit Ludo. Et ce n'est pas n'importe qui, mais Miss Belle, qui te le dit !

– Stop ! Ramona doit choisir toute **SEULE**, vous ne devez pas intervenir ! leur lança Annette.

– C'est vrai, Ludo : Annette a raison ! consentit Zoé en décochant un regard noir à la blogueuse. Et je suis certaine que Ramona a assez bon goût pour s'apercevoir, sans l'aide de personne, que le chiffon d'Elly n'est pas comparable à ce qu'a fait Vanilla !

Pendant quelques instants, Ramona resta silencieuse, FIXANT tour à tour Annette et celle qu'elle croyait être Miss Belle.

Finalement, à la grande satisfaction de Zoé, elle déclara :

J'AI DÉCIDÉ : MA VOIX VA À VANILLA.

UNE AMÈRE
DÉCOUVERTE

Les cinq membres du jury gravirent alors la plateforme pour rejoindre Colette, Vanilla et Elly.

– Silence, s'il vous plaît ! dit Colette en s'adressant au public. Le jury va nous communiquer le
nom de la **gagnante** !

Se tournant vers Zoé, la jeune fille demanda en
souriant :

– Tu veux t'en charger, Zoé ? Pardon, je voulais
dire *Miss Belle*... Il faut que je m'habitue à
ton nouveau nom !

– *CONTINUE PLUTÔT À L'APPELER ZOÉ !*

claironna soudain une voix au fond de la salle.
C'était celle de Paulina, qui montait sur la **PAS-**

SERELLE en compagnie d'une jeune femme aux cheveux sombres.

– En effet, la VRAIE Miss Belle, c'est elle ! ajouta Paulina en désignant la personne qui se tenait à côté d'elle.

Zoé PÂLIT, mais toute l'attention du public était concentrée sur Paulina, qui révéla les

JE VOUS PRÉSENTE... LA VRAIE MISS BELLE !

Soupçons l'ayant conduite à rechercher la célèbre blogueuse.

– Comme je l'avais écrit à Colette, j'étais partie en vacances, mais Paulina a réussi à obtenir mon numéro de portable, et, quand elle m'a raconté que quelqu'un se faisait passer pour moi, j'ai accouru ! ajouta la nouvelle venue. Zoé ne savait absolument pas quoi inventer pour se justifier, mais, quand elle capta le regard furieux de Vanilla, elle tenta le tout pour le tout. Feignant le calme, elle commenta :

– Et pourquoi la croiriez-vous, elle, et pas moi ?!

– Peut-être parce que, moi, j'ai ça ! répliqua Miss Belle en sortant de son sac sa fameuse *casquette* grise avec une fleur, qu'elle portait sur chacune de ses photos.

– Je… je… balbutia Zoé, mais, comprenant qu'à ce stade plus aucune excuse ne tiendrait, elle s'enfuit sans rien ajouter.

– Comment a-t-elle pu inventer une chose pareille ? demanda Colette à Paulina.

– Mon flair me dit que l'idée ne venait pas d'elle, mais je ne peux pas le **PROUVER**...

ET LA GAGNANTE EST...

– J'imagine que vous allez avoir besoin de ma voix ! s'exclama Miss Belle en découvrant qu'après l'annulation du suffrage de Zoé les deux meilleures stylistes étaient à **égalité**.

En voyant arriver Paulina et la vraie Miss Belle, Vanilla avait, un instant, craint le pire. Mais une fois la responsabilité de leur **EMBROUILLE** retombée sur son amie, elle avait retrouvé son aplomb.

– Eh bien... nos réalisations sont devant toi : tu n'as qu'à te prononcer ! dit-elle.

– **Ce n'est pas aussi simple !** rectifia poliment la blogueuse. Même si elles sont

très différentes, vos deux toilettes sont magnifiques. Peut-être pourriez-vous m'aider en me *racontant* ce qui a motivé l'élaboration de chacune...

Vanilla SOUPIRA :

– D'accord, je commence. J'ai choisi ce modèle tout simplement parce qu'il anticipe toutes les **TENDANCES** de la saison prochaine... En

MON MODÈLE ANTICIPE LES TENDANCES !

fait, il suffit de feuilleter les plus prestigieuses revues de **mode** pour s'en rendre compte...
– Bien. Et toi, Elly ? enchaîna Miss Belle.
Elly aurait vraiment aimé fournir une réponse aussi *professionnelle* que celle de Vanilla, mais, sachant qu'elle n'en était pas capable, elle s'en tint à la **VÉRITÉ** :
– J'ai sélectionné ces différents éléments car chacun a été porté par un membre de ma **famille**... Cela m'a paru le meilleur moyen d'exprimer qui je suis, puisque sans ma famille et sans mes amis, je ne serais pas la même.
Miss Belle n'eut pas besoin d'y réfléchir à deux fois : avec QUELQUES mots très simples, la timide jeune fille l'avait conquise. Sa création méritait d'être reconnue à sa juste valeur, car, pour en venir à bout, elle y avait mis une chose bien plus importante que de la soie ou des paillettes : son cœur !

Robe de mariée
de maman

Chapeau
de tatie

Valise de papa

Foulard
de mamie

– Sans hésitation, je vote pour Elly! s'exclama la spécialiste.

Pendant que le public applaudissait avec entrain, les Téa Sisters coururent serrer dans leurs bras la gagnante.

– Et maintenant, tu vas encore me dire que tu es une styliste «qui n'y connaît rien»?

– Rien qu'un mot : merci! déclara Elly. Car si tu ne m'avais pas encouragée j'aurais raté la soirée la plus amusante de ma vie!

LA MODE, C'EST...

Le lendemain, une magnifique journée ENSO-LEÏLLÉE attendait les invités s'apprêtant à quitter l'île des Baleines.

Sur le quai, tandis que ses amies prenaient leurs dernières PHOTOS avec les blogueurs, Colette s'approcha de Miss Belle.

– J'ai passé la nuit à réfléchir à une chose : la robe de Vanilla était la plus actuelle, pourquoi lui as-tu préféré celle d'Elly ?

– C'est simple : des modèles comme celui de Vanilla, il y en a des milliers, alors que celui d'Elly est unique ! Il raconte l'histoire de celle qui l'a conçu ! répondit la jeune femme.

Le visage de Colette s'ÉCLAIRA : après d'interminables ruminations, ces mots avaient provoqué l'illumination ! Elle se hâta de saluer ses nouveaux amis et, de retour à Raxford, fila, sans perdre une seconde, dans sa chambre, enfin prête à commencer son article pour Mulogue :

« La mode, c'est... l'expression de la personnalité ! »

TABLE DES MATIÈRES

Téa Stilton

DANS LA MÊME COLLECTION

Et aussi...

Hors-série
Le Prince de l'Atlantide

ÎLE
DES BALEINES

L'île des Baleines

1. Pic du Faucon

2. Observatoire astronomique

3. Mont Ébouleux

4. Installations photovoltaïques
   pour l'énergie solaire

5. Plaine du Bouc

6. Pointe Ventue

7. Plage des Tortues

8. Plage Plageuse

9. Collège de Raxford

10. Rivière Bernicle

11. *L'Antique Cancoillotterie,*
    restaurant et siège des
    *Messageries Ratiques
    — Transports maritimes*

12. Port

13. Maison des Calamars

14. *Zanzibazar*

15. Baie des Papillons

16. Pointe de la Moule

17. Rocher du Phare

18. Rochers du Cormoran

19. Forêt des Rossignols

20. Villa Marée, laboratoire
    de biologie marine

21. Forêt des Faucons

22. Grotte du Vent

23. Grotte du Phoque

24. Récif des Mouettes

25. Plage des Ânons

1. Terrain de jeux
2. Appartements des professeurs
3. Club des Lézards noirs
4. Jardin
5. Tour du Sud
6. Club des Lézards verts
7. Bureau du recteur
8. Jardin des herbes aromatiques
9. Tour du Nord
10. Réfectoire
11. Amphithéâtre
12. Escalier des cartes géographiques